Lya Luft | Para não dizer adeus

Lya Luft

Para não dizer adeus

3ª EDIÇÃO

EDITORA RECORD
RIO DE JANEIRO • SÃO PAULO
2005

CIP-Brasil. Catalogação-na-fonte
Sindicato Nacional dos Editores de Livros, RJ.

Luft, Lya, 1938-
L975p Para não dizer adeus / Lya Luft. – 3ª ed. – Rio de Janeiro:
3ª ed. Record, 2005.

ISBN 85-01-07233-8

1. Poesia brasileira I. Título.

CDD – 869.91
05-0769 CDU – 821.134.3(81)-1

Projeto de capa: Evelyn Grumach
Ilustração de capa: Pintura de Lena Bergstein
Preparação de capa: Tatiana Podlubny

DISTRIBUIDORA RECORD DE SERVIÇOS DE IMPRENSA S.A.
Rua Argentina 171 – 20921-380 – Rio de Janeiro, RJ – Tel.: 2585-2000

Impresso no Brasil

ISBN 85-01-07233-8

PEDIDOS PELO REEMBOLSO POSTAL
Caixa Postal 23.052
Rio de Janeiro, RJ – 20922-970

CÓPIA NÃO AUTORIZADA É CRIME
ABDR
ASSOCIAÇÃO BRASILEIRA DE DIREITOS REPROGRÁFICOS
RESPEITE O DIREITO AUTORAL
EDITORA AFILIADA

Vicente: este livro é seu

SUMÁRIO

APRESENTAÇÃO

Pensando em minha trajetória, vejo-me quase sempre escrevendo prosa: crônicas e ensaios, mas sobretudo romances, porque desde *As parceiras* (1980) o número de obras de ficção é tão maior do que o restante. Fui ensaísta em *Rio do Meio* (1976) e *Perdas & Ganhos* (2003), cronista em vários períodos, reunindo muita coisa em *Pensar é transgredir* (2004). Escrevi recentemente até mesmo uma pequena fábula, *Histórias de Bruxa Boa*, em que revelei um pouco do lado divertido da minha vida cotidiana.

Nessa andança sempre retornei à poesia. Eventualmente era escrita à margem de algum romance — um de meus personagens escrevendo com sua mão invisível.

É natural ter várias possibilidades de expressão, como um pintor emprega aquarela, óleo, acrílico, esculpindo e desenhando. A gente abre portas, espia, apanha e usa o que ajuda a ver melhor, a respirar melhor. Muda, deve mudar; volta, pode voltar: importam a liberdade de ação e a fidelidade à arte — essa que não admite interferências nem faz concessões.

Este livro de poemas — alguns poucos antigos, outros mais recentes, quase todos bem atuais e inéditos — é mais um jeito de dizer tudo o que diz a minha prosa. Não com menos intensidade ou inquietação, pois elas, como o amor, são o sal da vida.

Lya Luft, 2005

Para não dizer adeus

1. DIZENDO ADEUS

Estou sempre dando adeus:
também ao desencontro e ao
desencanto.

Estou sempre me despedindo
do ponto de partida que me lança de si,
do porto de chegada que nunca é
aqui.

Estou sempre dizendo adeus:
até a Deus,
para o reencontrar em outra esquina
de adeuses.

Estarei sempre de partida,
até o momento de sermos deuses:
quando me fizeres dar adeus à solidão
e à sombra.

2. PERDER, GANHAR

Com as perdas, só há um jeito:
perdê-las.
Com os ganhos,
o proveito é saborear cada um
como uma fruta boa da estação.

A vida, como um pensamento,
corre à frente dos relógios.
O ritmo das águas indica o roteiro
e me oferece um papel:
abrir o coração como uma vela
ao vento, ou pagar sempre a conta
já vencida.

3. TEMPORAL

O tempo rasteja no telhado
depois de se fazerem filhos e dívidas,
e as dúvidas brotarem nas frestas
da porta.

O tempo trança bordados no rosto
e manchas na mão,
mas a gente não muda: ainda chove
no escuro e um pássaro começa a cantar,
um amigo morre antes dos quarenta anos,
e nossa mãe, com quase cem, nem está
nem se ausenta.

Como tudo o mais,
o tempo não tem explicação:
corrói e transfigura, expande
ou empobrece, conforme a escolha
de cada um.

(Eu, com medo e susto,
escolho a multiplicação.)

4. TODAS AS ÁGUAS

Quando pensei que estava tudo cumprido,
havia outra surpresa: mais uma curva
do rio, mais riso e mais pranto.

Quando calculei que tudo estava pago,
anunciaram-se novas dívidas e juros,
o amor e o desafio.

Quando achei que estava serena,
os caminhos se espalmaram
como dedos de espanto

em cortinas aflitas. E eu espio,
ainda que o olhar seja grande
e a fresta pequena.

5. PEIXE AZUL

Ronda, peixe azul, no meu aquário:
gruda em minha boca de vidro a tua boca,
que do fio de teus regiros farei asas
ou barbatanas que me levem junto.

Peixe azul, dormiremos no limo
que recobre o fundo dessas águas,
onde nos chama uma sereia
com riso de anjo e olhar de louca.

Somos todos escravos, peixe azul:
tu com escamas, eu com meus poemas.
O delírio é fácil e belo o cenário,
mas a ronda, peixe azul, também traz mágoas.

6. QUANDO FECHO A PORTA

Na parede atrás de minha mesa,
ombro a ombro,
a menina e seu pai, em dois retratos,
conversam sobre o que há no escuro
da noite, como entender o mundo,
e por que as montanhas eram tão azuis.

Quando apago a luz e fecho a porta,
eles riem baixinho desta que hoje sou:
ainda tão distraída e desassossegada,
cheia de encantamento, susto e assombro.

(E devem dizer, meneando as cabeças:
Parece que ela nunca vai mudar.)

7. INFÂNCIA

Névoa encostada na janela,
qualquer coisa roçando o telhado:
o medo me contornava
— talvez simplesmente o vento.

A escada de sombra, a aventura
dos degraus, na curva de madeira
os passos de quem não vinha
— ou de um coração atento.

Longas rosas de longa paciência,
os silêncios e os prantos;
alguém arranhando a parede
— ou eram apenas lembranças?

Algo sempre em movimento:
a vida arrastando as pantufas
nos corredores do tempo
— fiquei esquecida num canto?

8. O RIO DO TEMPO

O tempo não existe,
nem dentro nem fora.
Esses peixes de opala
são nomes que nadam na memória:
são rostos, são risos, são prantos,
são as horas felizes.

O tempo não existe,
pois tudo continua aqui, e cresce
como se arredonda uma árvore
pesada de frutos que são peixes,
que são nomes de nomes, são rostos
com máscaras.

O tempo não existe. Sou apenas
o aqui e o presente, e o atrás disso,
como um rio que corre mas não passa
— pois ele é sempre, em mim, agora.

9. DANÇA LENTA

Não somos nem bons nem maus:
somos tristes. Plantados entre chão
e estrelas, lutamos com sangue,
pedras e paus, sonho
e arte.

Nem vida nem morte:
somos lúcida vertigem,
glória e danação. Somos gente:
dura tarefa.
Com sorte, aqui e ali a ternura
faz parte.

10. ÔNUS

A esperança me chama,
e eu salto a bordo
como se fosse a primeira viagem.
Se não conheço os mapas,
escolho o imprevisto:
qualquer sinal é um bom presságio.

Seja como for, eu vou,
pois quase sempre acredito:
ando de olhos fechados
feito criança brincando de cega.
Mais de uma vez saio ferida
ou quase afogada,
mas não desisto.

A dor eventual é o preço da vida:
passagem, seguro e pedágio.

11. SOBREVIDA

Quando foi bom o amor,
os mortos pedem
memórias doces
que não os perturbem,
e que a gente viva
sem muito desgosto:
mais nada.

Pedem silêncio
e que os deixemos
em paz.

Os mortos
precisam de mais espaço
do que em vida:
nesse seu novo posto
não devem olhar
para trás.

(Os mortos querem licença
para morrer mais.)

12. ROSTO COM DOIS PERFIS

Renuncio às palavras
e às explicações.
Ando pelos contornos,
onde todos os significados
são sutis, são mortais.

Não quero perder o momento
belo. Quero vivê-lo mais,
com a intensidade que exige a vida:
desgarramento e fulguração.

Então me corto ao meio e me solto
de mim:
a que se prende e a que voa,
a que vive e a que se inventa.
Duplo coração:
a que se contempla e a que nunca
se entende,
a que viaja sem saber se chega
— mas não desiste jamais.

13. AVISO

Se me quiseres amar,
terá de ser agora: depois
estarei cansada.
Minha vida foi feita de parceria com a morte:
pertenço um pouco a cada uma,
pra mim sobrou quase nada.

Ponho a máscara do dia,
um rosto cômodo e simples,
e assim garanto a minha sobrevida.

Se me quiseres amar,
terá de ser hoje:
amanhã estarei mudada.

14. QUEM SOU

Do pai, a retidão e certa melancolia:
o olhar sobre o que vem atrás
do espelho. Da mãe,
a alegria. Da remota linhagem,
o novelo de fios que tramam
alma e imagem,
ninguém sabe quando e onde.

Mais os trabalhos e a dor, a fantasia,
a obstinada procura, alguma sorte,
muita esperança na bagagem.

(Dissabores fazem parte: maior
foi a celebração da vida.)

Entre o começo e a morte,
mar e miragem:
não há muito de mim
na personagem que contemplas.

(Há que buscar o que ela esconde.)

15. TRAPEZISTA

A vida chega em silêncio:
desenovela reflexos,
interroga a esfinge
que responde ou nega
num espelho baço.
(A resposta nunca é clara
nem é pequena.)

Não é a mim que vejo:
é ao outro, num misto de incerteza
e esperança de que não seja
mais um rosto virado,
uma boca cerrada
— mais um desgosto
a cada passo.

Desejo, sonho e medo,
o amor é salto sem rede
entre a razão e a magia.
(E só assim vale a pena.)

16. VIAGEM

Não é preciso morar na esquina
nem ser jovem ou belo:
o amor melhor é sempre dentro
e perto.
Chega inesperado,
vem forte vem doce, acalma
e desatina.

Se está na minha rua ou vem de fora,
ele ignora o tempo e a idade:
o amor é sempre
agora.

É vento sutil e mar sem beira:
o amor é destino de quem está aberto,
e dói sem remissão quando negado.

O melhor amor sacia a fome inteira:
mas tem de ser aceito,
tem de ser ousado, tem de ser
navegado.

17. REVELAÇÃO

Quando chegaste,
redescobri em mim inocência e alegria.
Removi a máscara que sobrava:
nada havia a esconder de ti,
nem medo — a não ser partires.

Supérfluas as palavras,
dispensada a aparência, fiquei eu,
sem prumo,
como antes da primeira dúvida
e do último desencanto.

Quando chegaste,
escutei meu nome como num outro tempo.
O meu lado da sombra entregou
o que ninguém via:
as feridas sem cura e a esperança sem rumo.

Começa a crer, por mim, que o amor é possível,
e que a vida vale a pena e o pranto
de cada dia.

18. PRIMEIRO POEMA DA CEGA

Sentaram-me sobre o mar neste rochedo inerte,
e ficarei aqui até que alguém me leve
(sempre para uma outra escuridão).
Respiro, escuto, sinto o mar, mas nunca
verei o embalo dessas ondas
nem a dança dos peixes e afogados.
Se não me buscam, certo que aqui durmo
respingada de espumas, golpeada de vento,
presa a este lugar impreciso e sem rosto,
sem nada perceber mais que o grito do mar
e meu próprio lamento.

19. LEGADO

Foi meu pai quem plantou esse álamo
no meu jardim. Podou seus ramos,
e desde então seus dedos se multiplicaram,
sua voz se perpetuou em folhas
depois de cada inverno.

E quando o vento perpassa
os altos ramos do álamo generoso,
o tempo se dá por vencido,
a dor recolhe suas asas:
meu pai conversa comigo,
andando pela calçada
entre o meu coração e a sua morte.

20. AUTO-RETRATO

Alguém diz que sou bondosa:
está tão enganado que dá pena.
Alguém diz que sou severa,
e acho graça.
Não sou áspera nem amena:
estou na vida como o jardineiro
se entrega em cada rosa:
corte, sangue, dor e aroma,
para que a beleza fique na memória
quando a flor passa.

(Amar é lidar com os espinhos
de quem ama por inteiro:
com força, não com fraqueza.)

21. REVERBERAÇÃO

O destino trama os dias
e desfaz o sonho: demarca
meus contornos, partes
disso que sou e serei.

Quem sabe desejei demais:
milagres não me bastaram,
mas quando eu quis ser rainha
fui simplesmente humana.

A voz da vida insiste,
chama para o que salva
ou desatina:
nem sempre a entendi.

Palavras buscam sentido
para o que fiz, falhei,
conquistei e perdi
— ou que me abandonou
nalguma esquina.

(Talvez eu precisasse é dos silêncios.)

22. ÓCULOS

As lentes que me deram ao nascer
são lúcidas como chuva
que tornasse tudo áspero
— não doce.
Engano pensar que a arte afaga:
ela me puxa pelos cabelos,
me lança no olho
da ventania.

Não durmo, não divago, não
tenho complacência:
cada palavra pesada,
cada entrelinha apurada
para que não escape
nada do que vejo
e sonho. Tudo muito grave,
tudo muito urgente.

(Mas sempre espero aquele beijo,
sempre espero aquele beijo.)

23. MIRAGEM

Eu no espelho: atentas, nós duas
nos observamos para além da imagem.
Estendemos a mão, tocamos esse pó de gelo,
sabendo:
se eu mergulhar daqui, e do seu lado, ela,
vão se fundir num sopro nossos rostos,
todos os meus sonhos e os anseios dela.

Mas nenhuma se atreve. Continuamos
sozinhas nesse mundo de reflexos,
eu e ela incompletas, nuas
e sós.

24. RECEITA DE CASA

Uma casa deve ter varandas
para sonhar, cantos para chorar,
quartos para os segredos
e a ambivalência.

Um amor precisa espaço de voar,
liberdade para querer ficar,
alegria, e algum desassossego
contra o tédio.

Não se esqueçam os danos a cobrir,
o medo de partir, e o dom de surpreender
— que é a sua essência.

25. CONFLITO

Tenho medo das águas do destino
a invadirem o que penso e faço,
numa linha de infinda
contradição.
Eu sou assim:
quero fugir mas chamo,
quero ficar mas me assusta
não ter em mim nada seguro
e certo.

Nunca receio a alegria,
para a qual todos os milagres
são normais.
Mas quando tarda quem amo,
meu coração fica exposto
e aberto.

E mesmo assim eu persisto,
e ainda assim espero
ainda, como criança sozinha
atrás do muro.

26. ANISTIA

Bela Dama,
nas mãos discretas esconde
a fita, o metro, a medida
da nossa vida.
Bela Dona,
aguarda com paciência
a hora de nos botar no colo:
tudo estará consumado
nesse dia.
(Mesmo o não compreendido.)

Velhas palavras nos lábios,
nos olhos novas paisagens,
seremos poupados,
seremos absolvidos,
seremos isentados.

Mas nós nos daremos
anistia?

27. PRESSENTIMENTO

Quando eu era menina,
minha mãe tocava piano
e a árvore de Natal girava
em sua pinha de ferro batido.
Eu cochilava no colo de meu pai:
dentro do peito dele pulsava
a máquina da vida que nunca se cala.
(Mas uma coisa escura e sorrateira
fazia rumor fora da casa:
era o destino chegando
passo a passo, e eu não sabia.)

Junto ao coração de meu pai,
ao ritmo da música do sangue,
meu coração também estremecia:
a faca cortando a minha alma
era pressentir que as águas do mundo
inundariam o tempo e o espaço,
e seríamos um dia os rostos naufragados
de um velho retrato numa mala.

28. SOMOS INOCENTES

A parte dura desta humana lida
é dizer sim na hora do não,
escolher mal entre silêncio e grito,
entre a noite e a explosão
do dia.

Ceder quando devíamos negar, dizer
não em lugar de afirmar, partir
quando era bom amar, fechar-se
em vez de resgatar
a vida.

Sermos tão incertos e indecisos,
perdendo o trem, a hora,
o agora: mas a gente
não sabia.

29. A CASA NO MAR

Era uma vez um corredor de amores,
e uma casa ancorada no tempo da vida
para não naufragar.

Era uma vez viagens e descobrimentos.
Era uma vez uma infância dourada
e um quebra-cabeça possível de armar.

Era uma vez — e ainda respira em mim
como um cavalo alado —
aquele mar.

30. DÁDIVA

Derrama sobre mim tua esperança de homem,
tanto tempo contida:
planta em meu solo a árvore da renovação,
mais alta do que a noite escura.

Larga a solidão, apaga a desesperança,
inventa um novo reino
onde as águas não são naufrágio,
nem o amor desengano.

Vem para esta enseada, onde há ventania
e risco, mas podes ancorar teu coração
depois da longa procura,
para que ele pouse e pulse e brilhe

como a estrela-do-mar em seu fundo
de oceano.

31. COMPOSIÇÃO

Quando perdi quase tudo,
descobri que a dor
não era maior que o sonho.
Quando esqueci o caminho,
vi que o horizonte
ficava do lado errado.
Quando só o meu rosto
sobrava em cada espelho
(e nada do lado de cá),
juntei desalento e desejo
e me reinventei
com carinho.

(Agora pareço comigo
antes de o amor ser
cancelado.)

32. JAZZ

A boca extrai mel do metal:
contraponto, fingido desencontro,
pois tudo é trama de som e desejo
em espirais.

A boca
extrai segredos de mel
onde antes nada se movia.
O primeiro olhar já foi mar alto:
estás cada vez mais perto, estás
cada vez mais dentro.

O amor extrai mel do metal:
duas almas banidas voltam do desterro,
os destinos giram enlaçados
no descompasso, na penumbra, na magia.

33. DEMASIA

(para as mães excessivas)

Os filhos que pari trilharam seus caminhos
(como dizem que deve ser).
Eu não me conformei: andei em seus calcanhares,
lancei-me em mil direções, fiquei perdida
nesta casa vazia.
Toda a noite espreito os velhos quartos
para ver se as memórias dormem direito,
se escovaram os dentes, fizeram as lições.

Meus filhos tiveram outros,
e eu me fragmentei ainda mais.
No espelho não vejo ninguém:
virei poeira de gente, soprada entre eles.
Tanto me entranhei em suas vidas,
que tentam limpar-se de mim
para poderem crescer, para não serem
meus filhos.

34. SEGUNDO POEMA DA CEGA

Homens são passos, e mulheres vozes
que se aproximam, param e se esquivam
sem criar raízes nesta treva.
Beijam-se às vezes como num murmúrio,
e eu aperto meus lábios solitários
para depois, num mundo só de beijos,
pousar as mãos sobre meus olhos mortos
para que baixe nesses desamados
algum carinho, a medo.

35. MAR DEMAIS

O mar das nossas viagens
divide horizonte e cais,
e nos dois lados acena
a opção de ir ou ficar.
Quem navega, não pensa
em perda nem permanência:
só busca o caminho das ondas
e do ar.

O mar da esperança é fundo,
quem nele navega é rei:
pois se estrelas são miragem
entre cais e horizonte, cada viagem
chega mais perto da fonte:
isso não se pode medir nem
mudar.

36. QUEDA LIVRE

Bem que eu queria dormir,
mas isso que não esqueço
me chama a noite inteira,
sem nome e sem piedade.

Se abro os olhos, eu caio
no esquecimento. Se durmo,
apagam-se as esperanças
— e não me sobra mais nada.

Devo largar minhas perdas
que ficaram na soleira
entre o passado e o recomeço?
Sempre que me levanto
eu perco um novo pedaço:
ouço os cacos rolando
a noite toda na escada.

37. MAR DE MENINA

Havia um mar,
e ali brotava uma ilha
povoada de lobos e de pensamentos.
Havia um fundo escuro e belo
onde os náufragos dançavam
com sereias.
Havia ansiedade e abraço.
Havia âncora e vaguidão.

Brinquei com peixes e anjos,
fui menina e fui rainha,
acompanhada e largada,
sempre a meia altura
do chão.

A vida um barco, remos ou ventos,
tudo real e tudo
ilusão.

38. TERCEIRO POEMA DA CEGA

O mundo filtra-se pelos ouvidos
de quem não vê senão a própria noite:
meus olhos pegam sons com dedos falhos
mas nada tem substância aqui mais dentro.
Risos e palavras nesta sombra eterna
chegam e nadam, giram, se entrechocam
em desenhos de luz que não entendo.

Estendo meu coração, ouvido inquieto,
em busca de algum som definitivo
que abra em claridade estes dois olhos secos,
e me lance desta pedra em vôo a céu aberto.

39. MEU JEITO

Quando pareço ausente, não creias:
hora a hora meu amor agarra-se aos teus braços,
hora a hora meu desejo revolve teus escombros,
e escorrem dos meus olhos mais promessas.

Não acredites nesse breve sono;
não dês valor maior ao meu silêncio;
e se leres recados numa folha branca,
não creias também: é preciso encostar
teus lábios nos meus lábios para ouvir.

Nem acredites se pensas que te falo:
palavras
são meu jeito mais secreto de calar.

40. PAIS E FILHOS

Aqui não cabe a poesia. Aqui
ficam à mostra as tripas
da nossa dor milenar. Aqui
fala-se de desencontro e impossibilidade,
onipotência e utopia.
Aqui se cantam as verdadeiras feridas
do amor.

Todos os filhos de todos os pais do mundo
estão nas trincheiras cotidianas:
mas temos os braços amarrados,
e não podemos apertá-los ao peito
como quando eram pequenos
e tínhamos a ilusão de que eram nossos.

41. CÍRCULO

Na vida na morte
esta chama, esta fonte,
esta noite invadida:
seus panos na cama
seus passos na casa
sua voz ao meu lado,
meu bem no seu mundo
varando meu peito:
me povoa, me coroa
de beijos e mágoas
me prende em sua rede,
me define, me redime
me inventa e desinventa
me habita e transfigura,
no ritmo das águas
deste rio sem fundo
que chama na fonte
da morte, na vida.

42. PARA QUE FIQUES

A certeza vela atrás de um muro
ou dorme num poço
onde nada se escuta ou avista.

Sempre que partes, morro um pouco
por não saber se retornas.
Minhas mãos doem de tanto abrir-se
para que vás tranqüilo.
Só assim hás de querer estar comigo:
sem que eu insista.

(Fingir que te deixo livre
é um jeito egoísta
de amar.)

43. CONVITE

Vem me fazer inteira.Vem
mudar a criança que fui em feiticeira
sem medo de morrer por suas crenças.
Vem fazer, da minha fraqueza, força
para enfrentar os meus fantasmas,
e sepultar nessa fogueira os teus.

Vem me transformar em mais
do que hoje sou: mais forte
e mais serena, mais confiante e mais dura
— mas também doce quando precisares.

Vem fazer de mim algo maior que eu.

44. INÚTIL ESPERA

(para Wally, nos seus noventa anos)

O rumor de uns passos enérgicos,
a voz me chamando no jardim, na sala
rosas com nomes secretos, e um perfume
igual ao dela.
Legou-me sua alegria inesperada,
o amor à vida,
e algo do perfil. Não sua beleza:
essa ficou nos retratos.
Nada lhe significo mais:
quando me vê enxerga outros rostos,
mais reais do que eu na sua ilha.
É minha mãe e não é,
vive e não vive, na clausura da mente
adormecida.

Mas eu,
a cada visita espero o impossível:
que ainda uma vez o seu olhar me alcance,
e por um momento ame, nesta mulher, a sua filha.

45. QUARTO POEMA DA CEGA

Dizem que há veleiros no mar, e posso ouvir
o seu rastro de vozes quando o vento é forte.
Abro as mãos em flor, e jogo dentro deles
cada esperança antiga que me oprime,
cada sonho inútil que me embala.
Sigo seu roteiro claro e tranqüilo,
levando vidas, risos e destinos,
deixando um bálsamo de fresca espuma
na chaga destas pálpebras inúteis
que me prendem, sem asas e sem horizonte,
a esta pedra de onde vai me libertar a morte.

46. AINDA INFÂNCIA

Nem sótão nem porão,
na minha casa real. Nem mar:
porém as águas chegavam,
varando as negativas e os silêncios.
Não havia como não embarcar.

Jardins, morros azuis, fantasmas
nas janelas: para sobreviver, podei
a árvore dos pressentimentos,
calei o vento e sua voz
de folhas.
Crescer
foi desistir de a escutar.

47. PERSONAGENS 1

As angústias que descrevo não são minhas:
são desses rostos colados na vidraça
da minha fantasia, ditando-me
os humanos desastres que eu invento.

Fazem-me sinais que nem sempre entendo,
trocam recados que mal adivinho
mas anoto aqui do jeito que posso,
enquanto eles fazem tremer de espanto
as minhas mãos que escrevem.

Eu, de tudo me protejo. Escuto suas vozes
na sombra que habitam: deixo que falem
num tom que não é meu, encenando
no palco da minha escrita o seu drama
de espectros.

48. PERSONAGENS 2

Num fino traço
faço o perfil de ninguém.
Quem quer ser alguém
nesta vida sombria
parida com sangue e papel?
Mas no círculo que traço,
o nariz, os cinco dedos na ponta do braço,
donzela esguia ou boneco de engonço,
limito um novo ser: e me abraço
a mim, no poder de gerar um sinal
que instaure no nada um todo possível.

Quem faz de nós reis, deuses, réus
da nossa eterna contradição?
No texto que faço
separo o nada do nada,
abrindo o espaço
da minha interrogação.

49. ESCOLHA

Apesar do medo
escolho a ousadia.
Ao conforto das algemas, prefiro
a dura liberdade.
Vôo com meu par de asas tortas,
sem o tédio da comprovação.

Opto pela loucura, com um grão
de realidade:
meu ímpeto explode o ponto,
arqueia a linha, traça contornos
para os romper.

Desculpem, mas devo dizer:
eu
quero o delírio.

50. DOMAÇÃO

Cavala de flancos intensos,
patas rebeldes, sem dono nem domação,
rebentando espumas nesse galope, namora
mais do que o amor, a sorte.

Uma cavala dourada e sensual com crinas de leite,
talvez centaura:
carrega um nome então, um pensamento,
uma audácia e uma ausência.
Leva a memória, como cicatriz, de um beijo
no pescoço, a espreita e a espera:
a desabalada cavala na sua danação
e sua glória.

51. LIMITES

Abro a gaveta, e salta uma palavra:
dança sedutora sobre o meu cansaço,
veste-se de indefinições, vagueia
no labirinto das ambigüidades.
Acha graça de mim, que espero à frente
encontrar a solução dos meus enigmas.

Tento uma geometria que a contenha
no espaço entre dois silêncios quaisquer,
mas ela decide meus passos: peso de fruta
no sono da semente, assiste à minha luta
quando a desejo aprisionar, e às vezes até finge
que sou eu a senhora, a domadora, a fonte.

As palavras riem dos poetas, pois são livres:
nós, mediação incompetente.

52. CRIANÇA DEITADA NA GRAMA

Dormem os grandes navios
do sonho, como num porto:
bóiam rostos ou espumas
à flor de um espelho morto.

Não tenho certeza de nada
e mesmo assim me disponho:
sou um reflexo no fundo
de um corredor, ou de um sonho?

No azul do céu ou das águas
passam vultos como velas:
são miragens os navios,
ou as nuvens caravelas?

53. TUA DÁDIVA

Acolhe-me em teu abraço,
com teu olhar me afirma:
aquele espaço a teu lado
é o porto da minha viagem,
meu lado de rio, minha margem.

Abriga-me no teu corpo
para que o meu se desdobre
em onda de mar ou concha.
Aceita-me e me recria
como nem eu me conheço:
em ti parece que chego
como uma coisa concreta,
algo que avança e se adianta,
e só assim se desdobra,
pois antes era miragem.

Recebe-me em duas partes:
aquela que o mundo avista,
e a outra, a verdadeira,
chão da tua sombra que passa,
e da tua luz que se planta

54. DRAMATURGIA

Alguém joga xadrez com minha vida,
alguém me borda do avesso,
alguém maneja os cordéis.
Alguém me inventa e desinventa
como quer:
talvez seja esta a minha condição.

Alguém dirige o teatro de sombras
no qual fui ré sentenciada.
Finjo entender de tudo:
ando de um lado e outro,
faço gestos com a mão,
cuspo as sementes do fruto
entalado na garganta
como um grito:
Alguém aí pode me ouvir?

Ninguém reage, ninguém tenta aplaudir:
nesse reino todos usam disfarces,
menos a solidão.

55. SINA

Quando eu era menina,
a verdade parecia estar nos livros:
ali moravam as respostas
e nasciam os nomes.

Quanto mais procurei,
mais me perdi
na trilha das indagações:
as respostas não vinham,
a verdade era miragem,
a busca era melhor que a
descoberta,
e nunca se chegava.

(Viver era mesmo sentir
aquela fome.)

56. PARAÍSO

(*observando Isabela*)

Aberta ao mundo como um grande ouvido
— nada entre o buscado e o buscador —,
senta-se a criança no degrau de pedra
e olha.

Ela é inteiramente o que contempla:
não a flor, mas o espaço fora
das coisas.
Nessa liberdade
sua pequena mão contorna desenhos
que nem a minha lucidez
alcança.

Não quero indagar se faz sentido,
nem a chamo para o cotidiano:
nada que eu lhe possa mostrar
vale o seu olhar
de agora.

57. O SILÊNCIO DOS AMANTES

Como fontes que de noite brandamente
boca a boca trocam seus segredos dágua,
tocam-se os amantes, no afago
da lúcida paixão secreta dessas águas.

Assim, bocas sequiosas, os que estão apartados
deixam que brotem, fundam-se, retornem
os seus recados de amor como num lago.

58. OLHOS ABERTOS

Quem vela, contracena
com quem dorme,
mas nem um deles sabe
o que procura.
A madrugada ensaia
o seu roteiro:
no palco atuam vida e morte.

Espreito nos bastidores
fingindo calma.
Nem luz, nem escuro:
indecisão e espanto
de quem apostou a alma,
armou o cenário,
fingiu de platéia
mas não teve sorte.

O destino bateu palmas
primeiro, fez sua escolha
— e foi mais forte.

59. BOCA DE CENA

O coração explodido
na dor acumulada e na fadiga:
o morto ensaia outros passos
ao ritmo da nova amante.
(Morrer é mais do que uma escolha.)

Baixa uma cunha de luz
sobre os que velam:
o morto espreita atrás do cenário,
de braço dado com a morte.
Na platéia, silêncio e surdez:
somos os não-iniciados.

Mas há quem conheça o roteiro:
alguém distribui os papéis, alguém
vai pronunciar nossos nomes.
Ninguém será esquecido
no palco onde nos aguardam:
fomos vistos, fomos registrados,
seremos chamados.

60. SEMANTICA

Não se enganem comigo:
se digo sul pode ser norte,
chego mas fico ausente,
o triste é também o belo,
procuro o que não se perde
nem se pode encontrar.

Buscar respostas nos livros
é esconder-se entre linhas.
Não creio no que se enxerga,
mas nisso que se disfarça
por mais que se tente olhar:
assim me tem seduzida.

Eis o jogo que eu persigo,
meu jeito de ser feliz,
o desafio que me embala:
sempre que escrevo "morte"
estou falando da vida.

61. SUSPIRO

A medusa no fundo do poço,
onde não procuro nada,
me chama com seu olhar
de nostalgia.
Sobem as águas escuras,
plenas de tudo o que receio
mas quero ter
e dar um dia.

Só me resta mergulhar:
primeiro as mãos em ponta
cheias de encontro e de adeus,
depois o rosto desmascarado,
o corpo exausto que se adia.

E por fim,
muito mais calma,
isso que me sobrou de alma.

62. DÚVIDA

Estes são os meus objetos.
Têm uma pátina que não é do tempo:
é minha inquietação
roçando neles sua mão aflita.
Este é o meu rosto:
uns olhos que de tanto buscar
olham demais para dentro.

Se tudo desemboca na morte,
esse é o meu destino. É para lá que vou,
esperança e protesto,
segurando o candelabro dos amores
que me iluminaram na vida.

(Resistirão, singularmente,
ao meu último sopro?)

63. MATURIDADE

Caminho entre as minhas perdas
que são insetos escuros,
e os meus ganhos: douradas borboletas.

A luz de uma paixão, o dedo da morte,
o grave pincel da solidão
desenharam meus contornos, firmaram
meu chão.

Que liberdade, não precisar pensar;
que alívio não ter de administrar
minha vida:
apenas andar, e olhar,
apenas ouvir essas vozes
que vêm de longe, passam por mim
e não me dão importância.

Porque no vasto oceano,
a minha eventual desarmonia
é só uma gota
desafinada.
Mais nada.

64. NÃO MAIS DIZER ADEUS

Meu reino é o do silêncio, mais
que o das palavras. Nele tudo pode ser dito
e desinventado: as entrelinhas
transbordam dos meus contornos.

Minha alma, guerreira ou mendiga,
inocente menina ou bruxa perversa,
faz dessa teia de caos e luz uma viagem
com sempre um novo ponto de partida.

E desenrola infinitamente o teu nome,
que é todos os nomes, e não é miragem:
Vidaminhavidaminhavidaminha...
(E nunca mais ter de dizer adeus.)

Este livro foi composto na
tipologia Electra, em corpo 11,5/18,
e impresso em papel off-white 90g/m²
no Sistema Cameron da Divisão Gráfica
da Distribuidora Record.